HUGH McMILLAN is a poet from Ie
has written five full collections of y
festivals worldwide. His pamphlet of
the Callum Macdonald Prize in 2(*d*
in 2017; as part of that prize, he l :e
for the Harvard Summer School in Napflio, Greece. He was also a winner of the Smith Doorstep Poetry Prize and the Cardiff International Poetry Competition. *Devorgilla's Bridge* was shortlisted for the Michael Marks Award and in 2015 was shortlisted for the Basil Bunting Poetry Award. In 2014 Hugh was awarded the first literature commission by the Wigtown Book Festival to create a work inspired by John Mactaggart's *The Scottish Gallovidian Encyclopaedia* (1824); *McMillan's Galloway* was published in limited edition in 2014 and in a revised edition from Luath in 2015.

His selected poems Not Actually Being in Dumfries were published by Luath Press in 2015 and this was followed by Heliopolis and The Conversation of Sheep by Luath in 2018.

He has featured in many anthologies, and three times in the Scottish Poetry Library's online selection Best Scottish Poems of the year. His poems have also been chosen three times to feature on National Poetry Day postcards, the latest in 2016. In 2020 he was chosen as one of four 'Poetry Champions' for Scotland by the Scottish Poetry Library, to seek out and commission new work. Recently he was given the role as editor of 'Best Scottish Poems' for 2021."

By the same author:
Tramontana, Dog and Bone, 1990
Horridge, Chapman, 1995
Aphrodite's Anorak, Peterloo Poets, 1996
Strange Bamboo, Shoestring, 2007
Postcards from the Hedge, Roncadora Press, 2009
Devorgilla's Bridge, Roncadora Press, 2010
Cairn, Roncadora Press, 2011
Thin Slice of Moon, Roncadora Press, 2012
McMillan's Galloway, privately printed, 2015
Not Actually being in Dumfries, Luath Press, 2015
McMillan's Galloway: A Creative Guide by an Unreliable Local, Luath Press, 2017
Sheepenned, Roncadora Press, 2017
Heliopolis, Luath Press, 2018
The Conversation of Sheep, Luath Press, 2018
Haphazardly in the Starless Night, Luath Press, 2021

Whit If?

Scotland's history as it micht hiv bin

HUGH McMILLAN

Luath Press Limited
EDINBURGH
www.luath.co.uk

First published 2021

ISBN: 978-1-910022-90-0

The paper used in this book is recyclable. It is made from low chlorine pulps produced in a low energy, low emission manner from renewable forests.

Printed and bound by
Severn, Gloucester

Typeset in 10.5 point Sabon by Lapiz

Contents

Afore History

A time that never wis. A nevermas. Like they weather maps if ye lay the United Kingdom doon an spie the fou boond o Scotland's history ye'd jalouse the grand pairt that Scotland played, a they auld temples, stanes, the complex at the Ness o Brodgar, a place o pilgrimage frae a ower Europe endling. But misfortuinately oor histories hiv till noo bin screived by ithers, nae need to say who, an these treasures are thocht of as ootmaist, of nae import, and yon pairt of history itsel, of nae reck. Afore real history. Aye. Whit if we saw Britain the ither, the richt, way roond?

Whit if whan the tectonic plates shiftit

Whit if whan yon tectonic
plates rummelled, the land mass
noo kent as Scotland haed bin
jist a wee bit skited bi England,

then jyned doucely wi Iberia whilst
the southern pairt careert northwards
towart the Arctic ennin up
somewhaur near Baffin Island?

We wad hae made the maist bonnie
bangles o tin an selt them tae
the bazaars o aa the wirld, oor ships
wad hae plied frae the mony steeplt

Berwick on Tagus tae Constantinople
an back. In Europe the Saxons an Slavs
wud still be fechtin the langest
an maist borin war in history,

hivin destroyt a their macheenes
they wad be batterin each
ither oan the heid wi stanes
behint a huge protective wa built

bi the Chinese Emperoar Qin Shihuangdi,
to keep civilisatilon safe.
Nae one wad hae gaun onywhere
near America till Fabio MacDougall

wi a cargo o colanders met trading vessels
o the great Algonquin Empire
in the puirt o Galway in 1906.
Nae Refoarmation. Nae Global Warmin:

the Vikings wad hae named
England Ultima Thule an tradit furs
wi the inhabitants whilst makkin coars
jokes ahint their backs aboot their luve o seals.

Whit if Britain wis the richt wae roond?

We're that uised tae lookin at maps
whaur Scotland yon miserable spit
o mountain fillt wi alkies
angles aff intae the Noarth Atlantic
whaur it maun deserve tae be,
whilst the sooth o England,

plump an roon as chicken breest
sweems veive an lush afore
oor een, the source o aa guid things,
prosperity, culture, an history.
Yet afoare Stonehenge,
yon far noarthern pairt,

sae sma they hae tae pit it een a box,
oot-Londoned London.
Up thair they built cyclopaean
waws aligned tae the threeds
an filaments o the cosmos,
temple complexes

sae muckle they beggar belief.
Doon thare on the mudbanks
o the Thames, sooking whelks,
the natives coud only dream
o Dunragit an the Ness o Brodgar,
yon Luxors o the Noarth,

an wait fur the boats
o meesionaries sailin sooth frae
Scotland, boontifu an wice,
tae lear them hoo tae mak pots,
graw corn, meex paints,
hae a bit o perspective.

An auld heid frae Skara Brae lookit back

Ye ken we wir puir
but abody lookit aftir
yin anither,
naebody lockit their doors,
wi wir in an oot
o yin anithers hooses
an doon the wee closes
playin knucklebones.
Sax folk tae a box bed
covert in an auld jockie coat
o walrus whiles grannie makkit fish broth.
Fowk wir jist resilient ken
an thare wir they daies
whan the bents wir
kivert wi samphire an aster
in the sool, like tiny starns.
I ween it wis heivin in a wey
if ye foryet the rickets.

No the sam sin
we muived tae thir crannogs.

Whit if fowk coud unnerstaun Pictish boondary mairkers

NO DISS
HOARS TRB BT
IIRC SNKES PWNED U
LST TME
SAE GTFOH

The Romans

The Romans war less dour than maist fowk think but they stairtit aff the tale o the kempy loser, a template that Scotland's no been able to shake aff since, in history, politics or fitba. Tacitus' Calgacus, gallant an rank in defeat, is Blind Harry's Wallace, is Joe Jordan in Spain in 1982. Skelp them, patronise them, foryet them.

The tale here is an auld auld story o the Picts who haed brewed aiblins the maist wunnersome beer in the world but wir sae thrawn, they wouldnae haund the secret ower tae the Romans, jumpin ower the rocks tae their deith at the Mull o Gallowa insteid.

If the Romans haed fund the seecrit o Pictish ale

Frae Gibbons: 'The Rise an Rise o the Roman Empire'.

'I hae noo feenisht the lang tale o the Roman Empire,
frae the age o Trajan an the Antonines,
tae its carpickles in the wast
aboot five centuries aifter the Christian era.

Barbarians haed fluided the Empire, an the batter
that hauded it thegither, belief in the saucrit faimilie
o Gods, haed dowed, but at yon ill luckit point
the brewery at Uxelledonium, uisin speils

an the watters o Mellissae, startit tae mak the dreenk
cad Cervisiam Pectae which in muckle eneuch doses
haes the effect o jyning auld foes
and whits mair kinnlin sic nostalgia fur times by

that in the Cooncil o Nicomedia Emperor Julian
the Thrice Pissed, forbad Christianity yince and fur aa,
an sauved the hale wurld.'

The Daurk Ages

Daurk sae cawed because the world haed bin dooked into chassis eftir the Romans, an aw douce an cliver things haed bin lockit up in the bonny ceety o Constantinople until the year 1453. At least yon is how ma dominie Bill Smith telt it an even if he wis a queer man I trou him still. Spikkin as a makar, the best thing aboot the Daurk Ages is ye can freely mak the hale thing up, includin in a poem here, a dour an gytie auld saint gettin kilt by a hertsome Pictish lassie.

The Daurk Ages

Whit a hassle leevin
in the daurk ages,
naebody quite shuir
whither tae
weir a toga oar strip aff,
an forgittin theengs suddent:
recitin Plato ower brakfast
an bi tea time grumphin
like a pig. An aa they
things that didnae really
happen cos we didnae
screive them.
Kings wi queer names
battles that were focht
in seiven different places,
King Arthur mibbe.
An whit a time it takken!
a thoosan yeers
is a lang wheen no to ken
yir name oar the time o daie!
Thank goad fur they
Turks puncturin the waws
o Byzantium,
an turnin oan the lichts.

If Columba haed bin chowkit bi Eithne

Braw day in the Cruethentath,
the leaves drappin siller an gowd
oan the watters, gyurds frae the Goddess
Annan whase birthy bluid an veins
creaut a fish an fruit an leish
craiturs o the wuid.

I haed a dream last nicht
that ah was in a preeson
o wurds, wurds sae glittie
ah couldnae sclim oot.
They were saft and slesterie
an easy tae say, these wurds –

the kynd we lassies aft hear
hot frae the mooths o liars
an thieves. Yon man glazie
in his white goun would hae us
lear the wurds he says,
but ah hae the gift

an wit the feenish o things.
Nae convent fur me: ah will pit
my strang haunds roond
his wheaselie thrapple an chowk
his life oot. Saund him tae
his weel-rade God. Keep ma ain.

The feenish o the Picts

It's a sad thing tae theenk
o the feenish o the Picts,
yon first auld yins.

It's aye bin tae me
a pictur as romantic
as the Turks ridin doon

the Emperor oan the waws
o Byzantium, Causantin
on the saund,

the cloods dairk as weet rock.
Aed of the White Flooers,
Giric, whaur are they?

Names furlin on burnt
scrolls, paper shired as the wind.
Dwams an prophecies.

They were brutal men
killt bi ither brutal men,
but headit oan a beach in

North Fife: ye can see it
in yer ain heid: the waves
the winter the weird.

The Meedle Ages

Richt time tae stoap makin things up. Fowk stairtit writin things doon sae frae then oan we haed sources, as they're kent in universities, bi fantouche professors. An they sources got makkit intae books. As awbody kens whaw's bocht a muckle an skyrie British History *magazine in WH Smith's, Scotland's history is uisually at the bottom o page 42. Ah taucht in skules fur many years an it was a constant scunner how we niver got tae teech oor ain history. Noo we've a Scottish government, we teech the Wars o Independence ower an ower agin till we're deezie. It's a stairt tho.*

Alexander II

Here's a blythe tale:
foryet yir mitherin aboot
tirnin back at Derby
yir jacobite nael glaumin
aa they whit micht hae bins
if Geordie Murray hid haud forrit
if Chaurlie hidnae fidgit it,
hou it wis unpossible tae gan
thon seveenty miles...

sax hunnert years afore,
oor Alexander Twa mairchet his airmie
fower hunnert miles frae Carlisle
tae the sooth coast tae blether wi
his freen King Louis wha wis
attackin Dover at the time,
confabblin an corrieneuchin,
an then stravaigin back
at his leesur, scaiterin

the English like buss,
reukin King John's camp
at meed point
an daunerin back ower the Tweed
at his leisur. Oor deid? Aichteen.
The maist dochtie feat o airms
seen in thir islands.
An hou mony o oor kin ken?
Aichteen?

Whit if thaur wis Public Safety Advice oan the brent-new pestilence o 1348?

If ye hae bin faur awaa
or hae met onyane traivellin
frae a kennt hot-spot
ie Asia Minor, the Crimea,
Genoa not Venice
an ye begin tae shaw
the followin signs:

Myld filever,
spreckle-lik spots,
pechin,
byles in the oxters

an if it isnae possible locally
tae thraw a jew
or a humphy-backit wummin
doon a well, dinnae fash –

adopt the following meesures:

buy or mak a mask wi a big beak
an bide cosy in yer hoose!
Thare is nae evidence
the disease spreids tae pets
sae dinnae fret aboot yer rottans,
looses, golachs, sclaturs
or mites they will be jist braw.

The Wars o Independence

In the centuries o gory an yin-sided carnage atween Scotland an England we haed something like 15 years when we stuck it tae the English. This time is cawed 'The First War of Independence (a small bit o it)'. The war stairtit when Alexander III crossit the Forth in a hoolie an fell aff a cliff and feenisht when a mortally seek Robert Bruce gart Edward III tae sign the Treaty o Edinburgh/Northampton in 1329. Efter that normal service wis resumed. Bruce (The Pilgrimer) deed as did the Black Douglas cairryin the bowsie mon's hert. Cameo here frae Baldred Bisset, a hero ye'll nivir hae heard of.

Whit if Alexander III haed Twitter?

@queensferryman
@scottishking whit's the picture the nicht re ferry crossings?

@queensferryman
Replyin tae @scottishking
blawing a fing hoolie dinnae even think aboot it. Oor new boats no riddy yet wiv ainly goat the rowin yin

@scottishking
Replyin tae@queensferryman
Aye fair enuff ahll mibe stay in Embra

@edwardlongshanks
Replyin tae@scottishking @queensferryman
cmon it's no that bad

@queensferryman
Replyin tae @edwardlongshanks
this isnae the Serpentine ye fuckwit

@edwardlongshanks
Replyin tae@queensferryman @scottishking
I hir Yolande's hivin a pairtie the nicht

@scottishking
Replying tae@edwardlongshanks
Whit ir ye meanin

@edwardlongshanks
Replyin tae@scottishking
Ye ken fine what ah mean

@scottishking
Replyin tae@queensferryboatman
Get the boat oot

Baldred Bisset Scottish hero

It shoud be Baldred Bisset Daie,
wee baldie boy frae Stirling
singlehaunedky spake fur Scotland
in the papal Curia o 1301
agin a muckle squad
o English legal eagles tryin
tae argue fur the
deith o the Scottish nation.

Owerturnin the odds he wun,
alang the wey concoctin
the sexiest creation myth in history
in which Pharoah's dochter Scota
mairit a Babylonian
wha haed daunered to Scythia
aifter the ruin
o the Tower o Babel

an then tae Scotland during
the exodus o Moses, luggin
wi them the Stane o Destiny.
Their boy, chip off the auld block,
then blendit the maist braw pairts
o the seveenty twa leids
then existin tae create
the wurld's maist wunnersome: Gaelic.

Whit if the Ettercap gied his spin oan it?

Ah got scunnert tryin tae spin
a web for denner,
the stane wis aa slaisterie,
ah coudnae get a grip,
ah wis hauf stairved bi the end,
no even a midge tae claucht,
then a big lug o a mon cam in,
raggety, right dosser,
mair hungert looking than me,
stairted eyeing me up,
ah thought, fuck this, ah'm off,
swung like tarzan
oot the cave on a thread
thick as a wean's wrist.
Seemt tae cheer him up.

Whit the hinnermost spearmen hear o famous speeches

Wha wad be a tidal wave
an haud thur plywood sheep?
Turnip Pee!
In your shed mony years frae noo
wad yi trade yer ears or Ben Macao
fur my aunt's chassis?
Ye can tak oor wives
but never oor smeddum.
Alan Dunbar!

The pairt played bi the aitcake

It's a fact:
They aitcake crottles in yer pooch
are sons o a noble breed,
the michty aitcake,
glouter o the Gods.
The Sassenachs gaed them tae their horses
but it wis aitcakes won freedom
fir the Scots an French,
no Wallace, Bruce or Joan o Arc.
Whit did Archibald Douglas hae in his bluidy mitt
whan he dashit the Duke o Clarence's heid at Bauge?
A rough aitcake.
'Whit dye think o the mutton guzzlers an winos noo?'
speired the Dauphin o his fantouche courtiers
whan the Scots hid beirt the gree.
He jaloust the docht o the aitcake.
The Maid gang in Orleans veectorious in 1429 wis
flankit, they quoth, bi Scottish guardsmen,
bowsterous giants wi twice fired aitcakes,
their brattach three aitcakes rampant
on a sable field.

The Pilgrimer

Gyf that he
socht sanct Niniane devotedly
gat heile, tho it was myslary
thru the giffar of al grace
to quhare sanct Niniane
servand vas.
(Barbour, Legends of the Saints)

Nae gentle court or shou,
he traivelt grim cloakit
like a cataran,
a few riders tae airt oot the road.
Auld injuries it wis telt,
or auld tribbles: murther done

in Gallowa tae be saint
in Gallowa.
His forbeir King David
wis healt o poison here.
Oan this lest vaige
he summont

up the laist glents o his will
an veesited the clootie wells
whaur water rins ower auncient
stanes, freed men frae sin,
slooshl disease
intae the black flowe o Cree.

Kirkmaiden, Muntloch,
St Medana's, Chipperdingan,
Tibberliekite. At the change
o the moon he dichtit
his scaurt boady,
an the cloods lichtit like shroods.

Historiography I

History is screivit bi an aboot the winners, bruital thugs o Kings, maistly. The untelt tales aiblins are the maist wunnersome, an there the makar comes intae his or her ain, giein vyces tae the deid. The Sma' Fowk were the 'camp followers' at Bannockburn who, accordin tae some tales, turnt the tide o battle. Skelet 22 wis yin o the puir sodgers, mony frae Gallowa, taeen at Dunbar by Cromwell and mairched tae Durham whaur they deed o ill-usage an starvation. They're buirit there still, in the land o their murtherers, an the tale no truly telt.

Whit if the deid coud spik?

The Romans at Caerlaverock

Ayont the bricht reid waws
of the postcairt castle
is a sumph o mulch
whaur groon meets sea an sky.
Thair yir bewaved
no bi a catwalk o nobles
in gallant pallion,
their galleys at anchor oan Sulwath,
a re-enactors' dwaum,
but bi ruit an bogle,
shaidaes frae ower the grim firth
boon fur Wardlaw an the shiftin wast,
broon men, knottied like wuid,
sent tae die at the lip o the wurld.

The Sma Folk

Ave hird it telt we werenae thaur
but we aye are;
close as craws to sodgers
an the reek o bluid.
Wir sma but we cover the groon
like haar,
thieves, hoors an ither scum,
bone-pickers.
Dad's Airmy we're no,
but we won the fecht aa richt.
We aye dae.

Skelet 22

Galloway wis bauch hertit fir the King
but fuid an adventur
ir gowsterous sairgants,
an oor dreich hills
grew God's sodgers like teeth.

Fur the Covenant
an agin England
we focht, an, taen,
wir mairched frae grav
tae grav.

Some wir shot hauf-roads,
some solt as slaves an gone
on boats ower the wathery seas.
The lave?
The rottens haed us.

The Renaissance/Reformation

Aye some fowk's favourt era, fu o religious maniacs and weel turnt-oot psychopaths. Whit if John Knox hadnae bin sae thrawn? (Note tae Scottish people: the anely thing the Tudors iver tried tae dae tae Scotland wis wipe it oot. Namin an aircraft carrier eftir yon is alike tae the Russians hivin a warship cawed the Eichmann.)

Whit if John Knox hid fawen in luve wi Mary Queen o Scots

Ah wis a slave
an whan I cam hame
ah wis even mair a sodger
o God, hard as tacks,
ma knuckles preented
luv an hate, ma tongue

a pepper pot-de-feu
that nae man or wumman
coud thole or staun afore.
Whan ah wis summont
bi yon wee thrawn lass,
it wis winter, cauld an stript

o colour, an the room,
aa graith an gear, wis jist pale
mirrors o man's vanity,
but as she sat pretendin
tae be in chaurge,
aloan, an aa the weicht

o history agin her,
an that muscle in her neek
stoonin, thaur wis a theeng
aboot her: no the wiles
which are skeen deep,
but mair a licht ye get

thru marble whan it feels
wi pale fire. It wis raw breevery,

an thon, ah ken for a fact,
is beauty. Ah hae a chaunce
noo whan the sun dinks
thru the tall gless

an fas oan her lang hair
tae stap a meenit,
jyne oor heids thegither,
stem the wash o bluid,
staun firm, let nathin
move us but oor strange hairts.

Whit if the Great Michael an the Mary Rose haed a fecht?

Twa double whoppers
wi mayonnaise wheezin
towards yin anither
across the glazie sea,
sae tap heavie that the cannons

wad hae rolled off or blastit
into the ocean an the crews
cleavin tae riggin an mast
wad hae hid tae thraw
personal belongins at yin anither,

a pewter syringe –
ouch ye English bastirt! –
an earscoop –
yaroo ye filthy Jock –
follit bi peppermills

an nit combs,
mirrors an cookin pots,
a sundial, thirty pairs
of shoes, a fiddle,
a privy seat...

Eeeeek! Oooh! Aaagh! Fek!
Nae fun at the time
but diskivert later
bi marine archaeologists
tae muckle flochter.

Tudor Cultur in Scotland

Cloods thick as ile ower Nithsdale.
The faulds ir in flam.
In the daurk we tak oor weans
an gan tae the forest,
or wast, whaur the smeek wull follae us
like a dog. Efter, we wull
fin oor soil clift an lapert,
biggent wi ash, an dream o the hairst,
an the fire thit follit the hairst,
an the hunger thit follit the fire.

The Seiventeenth an Aichteenth Century

I said we stappit makkin thins up but we nevir did, we're aye leein tae ourselves, creatin tales and legends meant tae mak fowk feel sairy for us or think wir bonnie. The Covenanters! Pair sowels an they makkit certain Scotland paied fur it wi the ruinage o a things o beauty follit bi three hunnert years o intolerance an boredom. An Glencoe! Whit massacre? Wir fousome o MacDonalds! Jist skek at a phone book!

Mair grave mattirs. The Darien Scheme – a Scottish Empire in Sooth America of a things, an the deith of a nation, the end o an auld song. Yon bricht Jacobite banner! An Scotland in the Union! Bi some hap suddenly fu o geniuses. A wee dod o Rabbie an aa but jist an aftairthocht, he's had press eneuch!

What if Grierson o Lag haed tried a bit haurder?

Thaur wad hae bin coontless mair wee stanes
punctuatin dank romantic moorland
an nae doot a library o tales o the pure hairted

droont, stabbed an chokit,
but on the ither haund hoo many sauved
frae hypocrisy an cant an righteous murder?

I think o they meenisters at the seige o Dunaverty,
the religious commissars o the Covenant,
demandin the death o three hunnert

Irish wummen an weans
an cantin hymns while the butchery wis din.

Whit if the Glencoe Massacre haed bin quality assured?

Captain Drummond it sais here
in yer self evaluation sheet:

'*I putt the orders in execution
withoot feud or favour,
as may be expected
as one true to King
nor Government, an a man fitt
to carry Commissione
in the Kings service*'.

'*A the perfidious rebels*', ye scrieve,
'*were extirpated root an branch*'.

Noo Captain, coud you pass
across that phone buik?

The Darien Fleet sailin the day

Manifest

142 Heelan Cow freedge magnets

100 dulie DVDs o Heelan Cathedral
performt bi André Rieu
an His Johann Strauss Orchestra
in Maastricht wi yon solo wumman bagpiper
wha looks haurd bit wid breeng a tear tae a glass ee

100 Collected Poems o Robert Burns owerset in Guiami

3,000 See You Jimmy hats

2,500 cases Glen's Vodka

2 tonnes Finest British Shortbread
wi Glamis Castle scrieved oan ilka slice

Final wurd oan the Darien Scheme?

We came tae the Tropics
tae chance oor luck
the Indians telt us tae get tae fuck
but we were suin the best o pals
smokin dope, quaffin whisky an hot mescal
Then we're fechtin oan the forest flair
kickin the heids o conquistadors.
In plate armour tae add insult
but we hammered them, whit a result!
But naebody haed thocht tae bring mair breid
so we stewed an we hungered and then we deid
Or went native, bred ginger hottentots:
England at faut.

If ye coud stoap history

If ye coud declare in history
like you dae in cricket,
I think I'd be daein it aboot
October 10th 1745 aboot 7.30 pm.
The heelan airmie
in unseasonably wairm wather
wad be in the taverns o Duddingston
singing a song aboot Dhomnuill Dhuibh,
Charles Edward Stuart dresst
in a blue sash trimmt wi Gold
an wearing the Order o the Garter
wad be makin his wey tae the auld toon
for denner wi provost Archibald Stewart,
wi aa the lassies o the Canongate hingin
oot o their windaes swoonin.
Behint him in Holyrood
the ink wad be dryin
on yon document abolishin
the 'Pretend Union' o Scotland
an England an at Brest,
in bonny evenin sunlicht,
seiventeen batallions o seasont
French sodjers wad be gettin
gaithert thegither for a sail.

Whan pipers sortit wars

Whan Donald Ban,
forcit bi hereditary obleegement
tae tak the wrang side
in the 45 risin, wis taen preesoner,
the Jacobite pipers aa went oan strike
demandin he gan lowse.
Jalousin naebody coud fecht

a war withoot pipers,
they freed him, furst giein
him time tae feenish the lament
Cha till, cha till, cha till, MacCruimein –
MacCrimmon will no, will no,
will niver, return.
Soon aifter his return he played fur

a government airmie mair than
a thoosan strang wha avaunt upon
sax MacIntoshes oan a brig, one of wham
blastit aff a musket shot hap-nap,
the only yin o the hale battle,
which struck Donald Ban stane deid.
Baith sides ran awaa.

Whit if Rabbie Burns haed a mobil?

Houffs wi nae seegnal

Poosie Nancy's
The Bush
Jarr's Midden
The Sowsie Minge
The Mount
The Randie Gadger

The Lang Wak Hame

The Scottish Enlightenment nicht oot

It a stairtit in the Rat an Monkey
whan Tam Reid telt Davy Hume
tae hae sim common sense,
an he went daft
cos auld Davy theenks
since aa knowledge is empirical
it's possible no to have ony.
Adam said if thaur wis an example
o someyin hiving nae common sense
Tam wis it- look at that stupit
hat he wis weerin
in this blowsy weether,
like an auld pair o drawers
crosst wi a fuckin tea cosy.
Dugald pipes up tryin
tae breeng saucht
but they aa shout him doon.
Naebody fuckin minds
a fuckin word ye scrieve,
saies Jim Hutton,
yer only weel kent cos o us,
am seek o ye hingin aboot wi us onyweys
this is a fuckin Select Club,
next thing we'll hae wimmen in it,
an they stap fir a minute tae laugh at that
thocht, but then stairt again
an they aa get chucked oot o the pub
an start rollin doon the High Street
kickin fuck oot o yin anither
till the French Revolution.

The Nineteenth Century

Mair self-delusion. The oppressed Scot, the freen tae aa apairt frae injuns, blacks an taigs. Fowk wha cannae address their past cannae build a future, ye micht saie.

Oppression

Ah can hear the patriots
tho I cannae see them
up thaur on yon high groond:
if it wisnae fur their crimson
nebs winkin through the stoor
they'd be inveesible.

Dinnae get me wrang: ma
country wis hammert bi
the English for sax hunnert years
an ah cannae fir the life o me
unnerstaun why onyyin wad think

bein jint tae them still wis
onythin but lunacy,
but cmon. The English didnae
wipe oot the heelan clans.
Men cad Lockhart, Scott,
Fergusson an Duff did that,

men frae Aberdeen an Dunbar,
ceevilised Scots protectin
their commerce,.
rapin an burnin auld weemin,
starving weans.
At Gippsland, Farquharson's Wharf,

an a thoosan ither ootposts ower
aa the wurld they hae cause
to curse the Scotch, their guns
an thir balance sheets,

an yon wee fraternities they built
tae keep it aa in hoose.

The Lodge. The Ku Klux Klan.
Dinna get me wrang. Ahm
fir freedom an a rainbow nation.
Ahm fir a great future
an a rich an gritty past.
But dinnae kenspekkle it wi lies.

Whit if we mindit the Alamo

Ilka April, afore the San Antonio Heelan Games,
they hae a braw scots hoolie,
cantin the Declaration o Arbroath
singin a bit o Burns, aa tae mind

the Scots deid at the Alamo,
fower bi birth,
eichty percent bi descent,
noble men wha fell preservin leeberty,

flyin the St Andrew's Cross
frae the mission hoose.
(Guidwilly men tae, gein yon banner
tae the Confederacy efterwirds!)

Thaur wis a bagpiper cad
McGregor they say, an wad ye ken it,
Davy Crockett played the fiddle:
the hale foy tailor-makkit

fir bungfu myth makars. Of course
naebody mentions the Scots wha focht aside their
Irish freends o the the Batallon de San Patricio
in the Mexican airmie,

sturdy an kempy sojers bi aa coonts.
Aifter their last staun at Cherubusco,
the Americans hung feefty o them.
They'll hae bin Taigs.

Mair Historiography

It's a weel kent fact that apart frae witches and Queens there were nae weemen at aa in Scottish history. Whit if histories werenae screived bi men? Rab Bruce's sister Christina here, the bonnie, wunnersome Dumfries painter Christian Fergusson, the mony talented Elspeth Buchan, titched by Goad and lunacy in equal meisur, an the oorie tale o weemen in boxes. It a stairtit wi they fantouche Greeks, hooever, chyngin veectims o abuse intae nichtingails an the like, romanticisin murther.

Christina Bruce

Ye'd ken o Christina Bruce
three o her brithers murdert
an her husband
garritted at twenty aicht,
her sister hung in a cage
ootside the waws o a keep,
imprisont hersel in solitary
fur nine years,

yet returnt wi her hairt
still strang tae build
a chapel o gless
ower her husband's banes
an lead in her auld age
a regiment o spearmen
bolts an arras buzzing aboot

her lugs as she strode
alang, her een they say
the colour an heat o fire.

Chrissie Fergusson's green life

Dumfries comes tae me yince more
as usual in a dwam:
its greens mair bowsie,
the cloods abuin the toon green,
the sandstone a green scarrae,
the reever a slaw flam
o trees, green mist,
an the umber, claie, o the sky.
It is like Carcassonne, Sienna,
every toon cooried roond
a river that –
ken, luik! – haes beauty
an dignity an folk
wi the patience
an luv tae be thaur,
tae dream awhile,
their hale unnoticed life aiblins,
in greenness.

Elspeth Buchan spiks

'Ah haed the leid,
an coud mak letters frae a bairn,
screive, but ma faither said
'Whit can a lassie dae wi wurds
but ken her bible?'
So ah did, a wurld o words

an ah jalloused the bible
is mair than a buik
an St John mair than pouetry –
it's questiouns speired.
I mairit, an life wi Robert Buchan
wis mair douce than herdin stirks

but I aready felt in ma bluid,
in ma banes, the soughin o the wurd.
I stravaiged sooth an met a speerit –
his meenestry wis guid
but his licht wis hodden

till I telt him oh aye
ah wis yon wumman –
branie wi a white robe,
wi the sun oan ma back,
wi the moon unner ma feet,
an skinkling oan ma heid

a croon o twalve stars!
Straicht oot ae scripture.
An I telt him he wis ma wean,
that wean o prophecie,
an oor hame nae less
than New Jerusalem

whaur God will bide,
whaur the rivers will rin siller
an trees will root
an the curse o sin will be
feenished for aye.
Whit is prophecie

but the proamis o god
an whit is hope but a new path
for yon wi the speerit tae thole it?
We hae the wurd but aiblins
alsae we hae the flame inside oorsels.
They're feart o me.

I will tak ma airmie sooth
an I shall brush lips wi the favert
an we wull shair the blash.
We are elect an we are ripe
like fruit fur the Lord to pik.
I am a wumman but I am the breath o God.'

Boxed wummen

Mary Queen o Scots
haed Queen Margaret
of Scotland's heid in a box,
a jewelled reliquary

oan wee wheels,
which wad cure passin lepers.
I wunner if the Scots
college in Paris

got haud o Mary Stewart's
heid ana in oarder
tae hae a boxed set.
It's funny hoo sae mony

weemins heids
end up in boxes.
Katy Clerk Maxwell
'Hur airly life obscur'

spent muckle time
starin intae a box wonderin
at veesions o colour
an the weirdness o gases

but yeve got tae scour
through the body
o her man's work
tae find her ghost:

Her paipers were birnt.
Aifter she nursed him

through his last illness
no much wis kent.

'She wis perhaps struck
down by distress.'
Whan yer no joined
tae a man, either yer heid
or the wheels cam aff.

Nae Nemesis

I've aye wunnert why Philomela
didnae chynge tae a beir
an byte aff Tereus' bas,
or a bull wha micht hae bluitert them
sae far up his airse they'd hae lantit
in his mooth fur brakfast,
no that he cud hae haed ony,

wi his heid hingin aff eftir yon leopard
she could hae bin got haud o him.
While lassies were kilt,
forcet or rent apairt, plucked their ain
een oot or lowped ower
cliffs, yon soor sho'oer o bastirts
the Greek goads moont aroon

brousin thru the Olympian Guide
tae Flora and Fauna, matchin the roll ca
o the deid tae dowlie soons o nichtingails
wee trees or licht hertit wather formations.
Wummin turnt intae birdsang
so poetry luvin hoplites could scrieve
some verse atween rap and murther.

Modern Times

A speedie birl tae the present, via wee Jim Barrie, some triflin maiters and mair grave an tantalisin possibeelities sic as revolution in Glesgae an a Terminator in Lewis. Wid hae bin a laugh if Jacques Brel haed bin a Corrie, richt eneuch. These are mair wice times, we dinnae hate the English any mair, jist each ither.

If David Barrie haednae dee'd

Life woudnae hae feenished
fir his brither at fowerteen –
the first eenocent pages
o childhood the only tale
fur him wirth readin or screivin –

the loast boys wad hae
bin simple roisterous castaways
wha wud hae stravaiged hame
finally tae their anxious kin,
an Peter Pan wad hae no bin

a succubus but a breenger
o jollity, a hint o the benign
supernatural, an maist of aa,
wee Jimmy wud hae bin sauved
frae stalking Kensington Gardens

cooried up in his duffel coat
wi his big hairy dug
tuning intae the dreams
o the blameless
an tryin tae muscle in.

His legacy woudnae
hae been the poison
o fame an deith,
if he'd acted his age,
no the size of his brither's shaes.

Maclean

'Scottish socialists shoud no be murderin
German socialists in the cause o capitalism.
Lit the propertied class gan oot
an defend their ain property.'

But they never dae
as the corpses democratically
mixt in bluid an glaur testify
Ramilles, tae Alamein.

Corpses disinterrt ilka year
bi politicians, gun rinners an priests,
the folk whose cantin kilt them
at the stairt of,

wi hairt swellin symphonies
auld dotards wi flags
an wee wide eened weans in uniforms
passin poppies oot like sacrament.

If MacLean haed haed a bowsier beard

The reid brattachs wud hae blottit
oot the sun in the Gallowgate,
yon croods wud hae stormt the City Chambers
an cried the Provisional Guvernment
o a Socialist Scotland,
an the sun wad never hae stappit
gleetin oan the heids
o weans an workers.
It wis a schoolboy error John,
no growin yer beard tae
Kropotkin length,
beeg enow tae
haud crates o rifles
frae Cork or Archangel,
gausie enough tae haud the dreams
o fowk awwhaurs.
Ye were a grand man, John,
but we needit a birsier yin.

What if there was a visitor to Tong in Lewis in 1929?

Mary MacLeod was walking down the beaten track. Ahead of her Broadbay glistened in the sheen of cold sunlight. The post had arrived and she was looking forward to reading a letter from her sister who was living abroad. Mary dreamed of leaving this grey place with its mud and its hopelessness. She was a good looking girl, just past her 17th birthday. There had to be somewhere else and someone else. Happiness and out of a wind that cut through you.

A strange perturbation in the ditch, a sudden flare, sent a chicken running. Mary was surprised to see Angus Beag the itinerant grocer standing there: it was long past the time he should have been on the road. There he stood, with a strange sheen on him.

'Carson a tha thu cho neònach a choimhead, Aonghais Bhig?' she asked, tremulously.

'Cha mhise Aonghas Beaghe' he responded, 'Is mise Hyperalloy.'

He was reaching in his sack. There was a strange pulse of light.

'Chan e cularan Aonghais Bhig' she said, the words fading on her lips.

Coontin richt in 1966

They'd no hae alloeud they twa goals,
the yin that never crosst the line
an the yin scored whan the ither team
wir daunerin aff the park hame,
that wad hae made it a draw
but alsae ye maun mind
it wis only hauf o Germany they wir
playin sae yon score haes tae be
multipliet bi twa.
Final coont then: Fower tae twa
defeat fir the English.

Whit if Jacques Brel haed jynt the Corries?

Wha woudnae fecht for Charlie?
Let me lift the shadows and take his hand.
Wha woudnae up an rally,
when sorrow is countless as grains of sand?

Think on ancient Scotia's heroes,
distant but still sonorous like birds in the woods.
Think on Loyal Bruce an Wallace,
conflicted souls in cold eternity's hold!

Wha woudnae fecht for Charlie?
I watch through smudged windows at the moon.
Wha woudnae up an rally?
The night train to Liege departs soon.

Scottish Seembols

Perfect totems fur a non-nation, a drunken rammie, a chunk o stane, a non-existent craitur and the emmlins o a yowe. On the ither haund aiblins perfect totems for a nation, the wunnersome flauchtit wi the mundane, as King Oenghus is telt here bi a wyce man.

Discoorse atween King Oenghus an a Spaeman afore the Battle o Athelstane

Dis this flag kythe the saicrifeece o mairtyrs ?

It is the scaur o cloods oan a bricht sky.

Can it be a handsel tae the Lord o Hosts?

It is the lit o dreamin an waukenin.

Wull it shaw itsel an ensenyie o grace an virtue?

It is soor an hinnie,
uggsome mynds an muckle speerits,
luve an loss.

Like ony laund's then. But oors?

Nae doot aboot it. Oors.

The true Stane o Destiny

They wad thraw oot that auld slab
frae a builders trench in Auld Reekie
an pit in its place instead
this gem o basalt shapit
bi the Samarites an the Picts

an the Tuatha na Duana,
this piece strecht frae the hert
o a volcano, the hert o legend,
mair ancient than onythin in thir isles.
It wad be like the ark o the covenant

suddenly appearin amang us,
the breith o queens an angels,
an wha coud say then that the Scots
ir no o a prood an ancient race?
Whaur wad yir Agincouirt,

yir syphilitic Harry Tudor,
an yer straw heeded sadist
o a Virgin Queen be then?
A fitnote, a wee punctuation mark,
aiblins nae mair interesting

than a semi colon, in oor history.

Whit if the Unicorn coud spik?

Thaur's some say
wive aye bin fechtin ower this drab
tin badge but tae be honest
this last hunnert years
wiv bin propping it up
bi muckle force o personality.
Me an the lion get oan fine
really – he's in the sam bind as me,
representin a wheen
o shite dreamed up bi eejits.
We josh alang:
yer a fucking mythical beast
he'll say to me an I'll say
yer no far behind me mate,
have ye seen yer
breedin feegures in the wild?
I'd imagin yin daie
it'll aa end, the pomp an posturin
an we'll get oot tae gress.

Whit if the haggis coud address itsel?

Ye knock kneed kilties
Ye Saturdaie nicht Scotties,
Ye pretend luvers o poetry,
Ye supper guests o misogyny
Ye boutique socialists
Ye lit i the wool unionists
Ye Daily Mail monarchists –

Ah am the fare o the poor o the airth,
Iceland tae Bangladesh,
Stick the dirk in if ye dare?
Ah'll get ma ain back, here, thaur.
Ah am offal.

Hogmanay

A meenit
afore meednicht:
Twa men in anoraks converge
tae choke yin anither

Some last thochts

Sailors, acause ah couldnae fit them in onywhaur else. An anither acoont o oor History, bi the National Trust, yon braw guardian o oor heritage, they sauve oor nation's furnitur whiles ignorin oor nation's needs tae paraphrase big Shug MacDiarmid. An Brexit. Goad. Noo's the time if it evir wis. Whit if?

Scottish sailors mairkit oot o ten

John Paul Jones. Murtherer,
traitor an cheel molester.
Hou did he becam sae famed?
1/10

Thomas Cochrane. Braw but wayward lad.
Focht fir fower countries
an niver loss a baittle.
A thief, housimiver, an hid
a hankerin tae use pisoned gas.
5/10

Sir John Ross. Suithfest
Chuisen tae fin Shackleton,
he kent the Inuits quoth true
whan sain the sailors haed eatit anither.
He wis shunned as English gents
werenae thocht tae be thon kin o carnivores
7/10

Sir Andrew Wood. Leal an Skeely.
Heidit the Yellaw Cairavel an Great Michael,
baitert the English, sae laithed solid grun
he built Scotland's feerst canal
ta tak himself tae Kirk frae his hoose
an aiblins heeven too
9/10

Captain William Kidd. Gallus.
His privateer the Adventur Galley
asail doon the Thames didnae hail
the Royal yacht so they sent a shoat
ower his bous. Kidd then foregaithert
the crew an they skelpt their nakit airses
in guidwilly hailsin tae the King
10/10

Whit If we learnt history frae the National Trust?

The weans dauner
past lions an unicorns on
taipestrie vieve as gress.
Pennents shoogle,
the souch o a fecht
pumped up frae some dern pairt

whaur dark kings rammie
frae real tales tae yairns an back
tae the din o suackbuts.
Staun on the richt pairt,
stamp on the robot een,
an see Bruce croont

bi Britney Spears, Coontess o Fife,
or James IV the glamrock droich,
stottin alang neath lifelang guilt,
or Mary, Bairn o Broons,
screichin fur a dummy, or a man,
or mebbie jist a change o CD.

What If the coast could speak?

If the coast could speak
it would surely speak
In the oldest of tongues,
learned on the lap of the sea
when language was life beginning:
the wash on land, the salt on stone,
the slow separation of words
like time passing – it might take a year
for one to emerge.
The first language
came to people here
who were always the poorest,
except in poetry:
atween the win an the waw,
eader neamh agus talamh.

Whit if Alexander Fleming haed diskivert penicillin in the saxteent century?

If Alexander Fleming
hid diskivert penicillin
in the saxteent century,
Francois II, Mary

Queen of Scots' man,
woudnae hae deid
frae a mastoid smit
but leeved tae a ripe auld age,

or at least auld
enow tae faither an heir,
an the Scots-
hivin aready

in November 1558
gien letters
o ceetizenship
tae aa the subjects

o the king o France
in swap for themsels
being gien
French citizenship –

wad hae gan intae
a cantie European
union whaur they
cid hae skelpit

the lest o the
Tudors an aa the clans
o soor-faced
Presbyterians.

As an ootcome
Scotland's cathedrals
an tombs
wad no be ruins,

Ulster wad be green,
cheese wad be a delicht tae us,
oor culture an leids
wadnae hae bin wastit,

the Fleur De Lis an Rampant Lion
wad waff through
the embassies o the wurld.
We wad jyne

gallic sophistication
wi the gowsternous born
o a border oan the sunderin
northern sea.

We wad len the English
oor oil, oor wine,
oor lang expertise in
psychotherapy.

Luath Press Limited

committed to publishing well written books worth reading

LUATH PRESS takes its name from Robert Burns, whose little collie Luath (*Gael.*, swift or nimble) tripped up Jean Armour at a wedding and gave him the chance to speak to the woman who was to be his wife and the abiding love of his life. Burns called one of the 'Twa Dogs' Luath after Cuchullin's hunting dog in Ossian's *Fingal*. Luath Press was established in 1981 in the heart of Burns country, and is now based a few steps up the road from Burns' first lodgings on Edinburgh's Royal Mile. Luath offers you distinctive writing with a hint of unexpected pleasures.

Most bookshops in the UK, the US, Canada, Australia, New Zealand and parts of Europe, either carry our books in stock or can order them for you. To order direct from us, please send a £sterling cheque, postal order, international money order or your credit card details (number, address of cardholder and expiry date) to us at the address below. Please add post and packing as follows: UK – £1.00 per delivery address; overseas surface mail – £2.50 per delivery address; overseas airmail – £3.50 for the first book to each delivery address, plus £1.00 for each additional book by airmail to the same address. If your order is a gift, we will happily enclose your card or message at no extra charge.

Luath Press Limited
543/2 Castlehill
The Royal Mile
Edinburgh EH1 2ND
Scotland
Telephone: +44 (0)131 225 4326 (24 hours)
Email: sales@luath.co.uk
Website: www.luath.co.uk